Carrières, catacombes, cryptes, égouts, tunnels...

PARIS SOUTERRAIN

EMMANUEL GAFFARD

BENEATH PARIS

Quarries, Catacombs, Crypts,
Sewers, Tunnels...

English translation by DAVID W. COX

PARIGRAMME

Cellier des Bernardins.

*Cellar of the Collège
des Bernardins.*

③

Paris est un gruyère! Son sous-sol est miné de toute part de galeries de différentes natures. On mesurera à quel point en feuilletant les pages qui suivent. Dès le Moyen Âge, pour construire la ville, on exploita en souterrain les couches de calcaire et de gypse de ses environs immédiats. Bien sûr, au fur et à mesure de l'extension de la cité, on éloigna les zones d'approvisionnement… tout en oubliant les vieilles carrières, que les zones nouvellement urbanisées finirent par recouvrir sous l'Ancien Régime. Il s'ensuivit de nombreux effondrements, qui incitèrent à consolider sérieusement le sous-sol. On creusa donc encore pour repérer les vides susceptibles de se trouver sous les rues et on aménagea un réseau de galeries maçonnées, véritable réplique souterraine du plan de la ville en surface. Tel fut le grand œuvre du XVIIIe siècle. Le XIXe dessina pour sa part une autre toile souterraine en creusant le réseau des égouts et des circuits d'adduction, tandis que le XXe trouva encore un chemin dans un sous-sol déjà bien encombré – ou plutôt bien évidé – pour y faire circuler les lignes de métro que nous utilisons tous les jours. Et il faudrait aussi évoquer bien d'autres galeries aménagées pour assurer la distribution du gaz, de l'électricité, du téléphone… qui partagent avec les grands circuits l'obligation de louvoyer entre de multiples obstacles.

Et en sous-sol l'empreinte de l'histoire ne peut être négligée ou abolie comme il arrive qu'elle le soit en surface quand il suffit de raser une construction obsolète ou gênante pour la remplacer par une autre : à 10, 20 ou 30 mètres sous terre, tout changement du métabolisme des profondeurs a des conséquences directes sur ce qui les coiffe ou les environne. Des carrières à Eole, le passé et le futur sont condamnés à s'entendre !

Paris is Swiss cheese! The ground it sits on is a maze of tunnels of all sorts. You will see to what extent as you turn the pages. Beginning in the Middle Ages, city builders quarried stone from the layers of limestone and gypsum in the immediate environs. Naturally, as the city grew, other supply sources in neighboring areas were sought out. Old quarries were abandoned and forgotten as new construction in the Ancien Régime periods covered over the old quarried areas. But the ground caved in frequently enough to prompt intervention to consolidate the lower levels. This required extensive tunneling to locate possible danger zones beneath city streets. The tunnels made up a network braced with proper masonry. It was a veritable underground replica of the city map on the surface and was one of the great achievements of the 18th century.

The 19th century brought the city a fully developed web of sewers and water conveyance. Then, in the 20th century, additional tunnels were burrowed in an area already heavily carved out, to make way for today's metro lines which get heavy daily use.

And to this growing list, we must add conduits for the new utilities: gas, electricity and telephone, which, like larger networks, had to contend with a host of obstacles. And naturally, beneath the surface, history's imprint can neither be neglected nor wiped out as often happens aboveground where any obsolete or unwanted building may be simply demolished and replaced by another. At 10, 20, or 30 meters underground, however, any change to the metabolism of the depths of the city can affect the structures directly overhead and nearby. From quarries to Eole (the city's latest public transit line), past and future must coexist in harmony.

LES CARRIÈRES
THE QUARRIES

La carrière du Val-de-Grâce, partiellement remblayée au fur et à mesure de son exploitation, présentait un réseau de galeries hautes de six mètres.

As excavation proceeded in the Val-de-Grâce quarry, waste material was left underground to backfill the galleries, some of which rise six meters high.

Pour les besoins de la construction de Paris, les sous-sols des environs d'une capitale qui était au Moyen Âge et sous l'Ancien Régime moins vaste qu'elle ne l'est aujourd'hui ont été abondamment fouillés. On en a extrait le gypse, constituant du plâtre, à Montmartre et à Belleville et le calcaire des pierres à bâtir essentiellement rive gauche. Les carrières de calcaire, plus ou moins sécurisées par des «piliers tournés», massifs rocheux laissés en place par les carriers, ou des «piliers à bras» constitués de pierres posées les unes sur les autres, furent à l'origine de catastrophes en surface quand ce sous-sol miné dut supporter le poids de nouvelles constructions. L'Inspection des Carrières, créée en 1777 et toujours active, y mit bon ordre en recherchant et en confortant systématiquement les anciennes exploitations.

Construction in Paris required abundant excavation of the quarries around the capital (a surface area much smaller in the Middle Ages and in the pre-Revolutionary period than today). Quarries in Montmartre and Belleville provided gypsum, which is the component of plaster, and those on the Left Bank provided limestone, used mainly in construction. Although reinforced by masonry pillars, columns of solid rock left in place while mining continued round them, and stacked pillars built from piled-up rock, the limestone quarries were the cause of surface disasters when the ground collapsed under the weight of new buildings. The Inspection des Carrières (quarry inspection office), set up in 1777 and still operating today, reduced the dangers through systematic monitoring and reinforcement of the old quarries.

S'il n'y a plus de carrières de gypse accessibles dans Paris, il en reste quelques-unes en banlieue, comme l'ancienne carrière Aubry-Pachot, haute de 18 mètres, à Livry-Gargan.

While Paris quarries have long been closed, a few quarries in outlying areas remain accessible, such as the old Aubry-Pachot quarry, 18 meters high, in Livry-Gargan.

Le large puits d'extraction d'une carrière sous Châtillon (g) et les piliers à bras consolidant le front de taille (d).

The wide winding shaft in the quarry under Châtillon (l) and the hand-stacked pillar consolidating the quarry face (r).

Actionné par un cheval, le treuil à manège de Carrières-sur-Seine surmontant le puits d'extraction permettait de remonter les gros blocs dégagés jusqu'à 30 mètres de profondeur.

The horse-drawn winch at Carrières-sur-Seine stood atop the winding shaft. It could haul up large slabs removed as far as 30 meters down.

Ces massifs de confortation dans le 16e arrondissement comptent parmi les premières réalisations de l'Inspection des Carrières.

These 16th-arrondissement reinforcement pillars figure among the first projects carried out by the Inspection des Carrières.

FONTIS

h = 8 m 90.

Une «cloche de fontis»,
début d'effondrement,
a été stabilisée.

*A bell hole, on the verge
of collapse, needed to be
reinforced.*

Cette grande salle laisse entrevoir la hauteur d'exploitation à droite et la situation après remblai à gauche. Les piliers maçonnés ont été construits dans les années 1930 afin d'aménager les lieux en abri de défense passive.

On the right, this large room provides a glimpse of how high the excavations went, and, on the left, how much backfill was poured in. Masonry pillars were added in the 1930s to transform the space into a civil defense shelter.

PAGES SUIVANTES. Les ingénieurs de l'Inspection des Carrières signaient généralement leurs ouvrages de consolidation par un numéro d'ordre, leurs initiales et l'année de réalisation des travaux. La fleur de lis a échappé aux bûchages révolutionnaires.

NEXT PAGE. *Engineers from the Inspection des Carrières generally signed and dated their consolidation projects by carving the order number, their initials, and the year the work was carried out. Here, a fleur-de-lis is a rare survivor of Revolutionary ravages.*

MILIEU DE LA
RUE·S-JACQUES
AU DESSOUS DE
LA BARRIERE

32

.3 3. G.
1777

N·I·D·2 2·R·

RUE·NOTRE
DAME·DES
CHAMPS·CÔTÉ
DU·MIDI

234
7.10

18

19

On ne consolide plus aujourd'hui
les carrières abandonnées
par des maçonneries mais en y
injectant par forage des matériaux
de comblement, comme ici
(au premier plan à gauche),
sous le bois de Vincennes.

Quarries are no longer
consolidated by masonry work
but by drilling and injecting
backfill materials, as seen here,
beneath the Bois de Vincennes
(foreground, left).

Les carrières de gypse sont
fragiles et ne peuvent rester
durablement en l'état. Celle-ci,
à Annet-sur-Marne, présente
un début d'effondrement.

Gypsum quarries weaken
and eventually collapse.
This one in Annet-sur-Marne
is starting to crumble
and cave in.

Sous le cimetière Montparnasse, deux niveaux d'exploitation sont reliés par des escaliers aménagés dans la roche (h). Un puits d'accès ouvrait dans le cimetière (g).

Beneath the Montparnasse cemetery, two excavation levels were connected by a stone staircase encased in the rock (top). An access shaft led up to the cemetery (l).

Cette modeste
carrière sous
la Cité universitaire
ne communique
pas avec le réseau
principal.

*This relatively small
quarry under Cité
Universitaire is
not connected
to the main
network.*

Confortations ogivales de la petite carrière sise sous l'école Saint-Louis-de-Gonzague dans le 16ᵉ arrondissement.

Lancet arches in the small quarry located beneath the Saint-Louis-de-Gonzague school in the 16th arrondissement.

Sous les jardins, les eaux
d'infiltration, plus abondantes
que sous les espaces bâtis,
produisent des concrétions
dans les carrières.

*More infiltrating water in the
quarries below comes from
gardens than from constructed
areas on the surface.*
It produces concretions.

La pureté architecturale
de cette galerie
consolidée vers 1830
rappelle les couloirs des
pyramides égyptiennes.

*The architectural purity
of this gallery
consolidated circa 1830
resembles the corridors
of Egyptian pyramids.*

La fontaine des Capucins (1819),
sous l'hôpital Cochin, possède une échelle
d'étiage permettant de mesurer le niveau
de la nappe phréatique.

The Fontaine des Capucins (1819),
located under Cochin hospital, has a gauge
that measures groundwater levels.

Le Chemin du Port-Mahon,
l'une des plus belles carrières
de Paris, aujourd'hui
menacée, se trouve sous
la rue de la Tombe-Issoire.

*The future of Chemin du
Port-Mahon, one of the most
beautiful quarries in Paris, is
uncertain. It is located beneath
Rue de la Tombe-Issoire.*

La galerie de la rue d'Assas, désignée
par son ancien nom de rue de
l'Ouest, a été percée par l'Inspection
des Carrières, qui recherchait
les vides oubliés.

The gallery beneath Rue d'Assas,
previously named "Rue de l'Ouest"
was created by the Inspection
des Carrières in its effort to locate
overlooked cavities.

Cloche de fontis remblayée
sous la station Vavin.

*Bell hole located under
the Vavin metro station.*

31

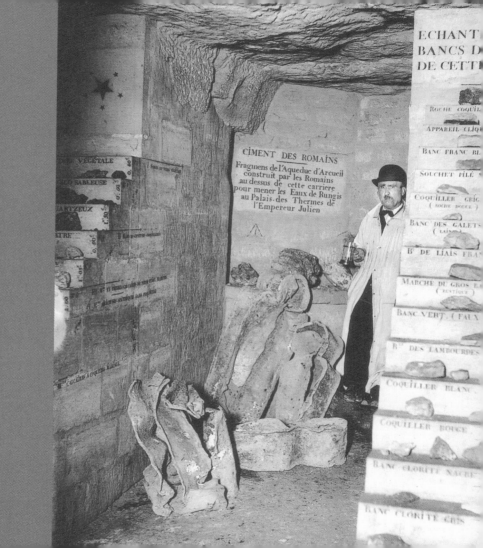

ÉCHANT...
BANCS D...
DE CETT...

ROCHE COQUI...

APPAREIL CLIQ...

BANC FRANC BL...

SOUCHET PILÉ ...

COQUILLER GRI...
(ROCHE DOUCE)

BANC DES GALETS
(LAISS...)

B. DE LIAIS FRA...

MARCHE DU GROS ...
(RUSTIQUE)

BANC VERT (FAUX ...

B... DES LAMBOURDES

COQUILLER BLANC

COQUILLER ROUGE

BANC CLORITÉ NACRÉ

BANC CLORITÉ GRIS

CÎMENT DES ROMAINS

Fragmens de l'Aqueduc d'Arcueil
construit par les Romains
au dessus de cette carriere
pour mener les Eaux de Rungis
au Palais des Thermes de
l'Empereur Julien

TERRE VÉGÉTALE

ARG... SABLEUSE

...UARTZEUX

Des cabinets minéralogiques
dans lesquels divers échantillons
rocheux étaient exposés furent
aménagés au cours des travaux
de consolidation des carrières.

*Showrooms for mineral samples
from local rock were displayed
while quarry consolidation
was carried out.*

Ainsi naissent les stalactites :
une goutte d'eau chargée
de calcaire dissous laisse lentement
s'épanouir de petits cristaux.

*How stalactites form:
small crystals slowly develop
from water droplets containing
dissolved calcium carbonate.*

Visiteurs clandestins, carriers, ouvriers de l'Inspection des Carrières... ont souvent laissé une marque de leur passage en sous-sol. Ornent ainsi les galeries des diablotins, une guillotine révolutionnaire, une table de multiplication, un pompier, un soldat prussien qui s'exerce au tir...

Secret visitors, quarrymen, employees from the Inspection des Carrières, and others have often left signs of their presence underground. Drawings include imps, a Revolutionary-period guillotine, a multiplication table, a fireman, a Prussian soldier at firing practice, etc.

Ce « mur de fraude », originellement fermé
par une grille, double l'enceinte fiscale
des Fermiers généraux pour en interdire
le franchissement en sous-sol.

*This "fraud wall" originally had an iron
gate to prevent underground smuggling,
and it doubled the Wall of the Farmers-
General aboveground.*

Carrière exploitée vers 1840 sous
le bois de Vincennes, d'où ont été extraits
une partie des matériaux des « fortifs ».

*Quarry excavations around 1840
beneath Bois de Vincennes
provided the material for Paris's city-limit
fortifications.*

A LA MÉMOIRE
DE PHILIBERT ASPAIRT
PERDU DANS CETTE
CARRIÈRE LE III NOVbre
MDCCXCIII RETROUVÉ
ONZE ANS APRÈS ET
INHUMÉ EN LA MÊME PLACE
LE XXX AVRIL MDCCCIV

Visiteur malchanceux des carrières, le portier du Val-de-Grâce, Philibert Aspairt, se perdit dans ce dédale en 1793. Retrouvé onze ans après sa disparition, il fut inhumé à l'endroit même de cette découverte.

Philibert Aspairt, a Val-de-Grâce porter, was an unlucky quarry visitor. In 1793, he lost his way in this maze. Eleven years later, his remains were found and given proper burial where they were discovered.

Ossements découverts
à l'occasion de travaux dans
Paris et déposés sous
le cimetière du Montparnasse.

*Human bones discovered by
city workers wound up beneath
Montparnasse cemetery.*

Les champignonnistes montaient des «meules» de fumier de cheval, puis les ensemençaient, avant de faire leur récolte quelques semaines plus tard.

Heaps of horse manure were seeded by mushroom growers. A few weeks later, their crops had ripened for harvest.

Lampe traditionnelle de champignonniste.

A typical mushroom grower's lamp.

La culture du champignon de Paris a pris son essor dans les anciennes carrières au début du XIXᵉ siècle. Il reste en grande banlieue quelques exploitations, où l'on cultive aujourd'hui sur sacs.

Mushroom farming in Paris developed in old quarries at the start of the 19th century. A few mushroom farms continue to operate in outer suburbs and use sack cultivation methods.

LES CATACOMBES
THE CATACOMBS

À la fin du XVIIIe siècle, les cimetières de Paris intra-muros furent supprimés pour des raisons de salubrité publique. Les ossements qu'on en retira furent transférés dans les anciennes carrières de calcaire de la Tombe-Issoire, rebaptisées «Catacombes» pour l'occasion.

On estime généralement à six millions le nombre de Parisiens dont les restes seraient désormais entreposés aux Catacombes, mais ce nombre est impossible à vérifier; il correspond à l'estimation du total des inhumations ayant eu lieu dans l'ancien Paris jusqu'en 1860, date des derniers transferts dans l'ossuaire municipal.

At the close of the 18th century, concern for public health prompted the decision to empty the cemeteries inside Paris. Bones were removed and transferred to the old Tombe-Issoire quarries. The "Catacombs" seemed an appropriate name. The remains of an estimated six million Parisians were moved to the Catacombs. The exact number, however, is impossible to determine. The estimate is based on the number of burials up to the year 1860 when the contents of the last graves were transferred to the city ossuary.

Les ossements ont été transférés aux Catacombes dans l'anonymat absolu et disposés suivant une étonnante esthétique macabre.

Once transferred to the Catacombs, in total anonymity, skulls and bones were stacked and arranged in macabre compositions.

Æquat omnes cinis, impares
Nascimur, pares morimur. — Senec.

La mort nous confond tous sous un même niveau
La Distance des rangs se perd dans le tombeau

46

Le vestibule que montre la gravure ancienne a disparu, mais la croix visible en fond de perspective est toujours en place, quoique désormais inaccessible au public.

The vestibule in this engraving no longer exists, but the plain cross visible deep into the perspective is still in place, although off-limits to visitors.

La fontaine
de la Samaritaine.

La Samaritaine fountain.

L'avertissement solennel « Arrête ! C'est ici l'empire de la mort » ne dissuade pas les visiteurs, qui franchissent la porte de l'ossuaire par dizaines de milliers chaque année.

Visitors are hardly dissuaded by the ominous warning, "Stop! Here begins the Empire of The Death." Tens of thousands cross the threshold every year.

OSSEMENTS DU
CIMETIERE DES
INNOCENTS
DÉPOSÉS EN
AVRIL 1786

OSSEMENTS
DU CIMETIERE
DU St ESPRIT
DÉPOSÉS LE
NO...

OSSEMENS
DU CIMETIERE
St NICOLAS
DES CHAMPS
LE 21 AOUST 1804

Des inscriptions rappellent l'origine des ossements et la date de leur transfert. On y découvre les noms des anciens cimetières parisiens, dont seul celui des Innocents évoque encore quelque souvenir aujourd'hui.

The signs here indicate the cemetery of origin and the date of transfer of the bones. The signs teach us the names of long-forgotten cemeteries. Perhaps the only one Parisians today recognize is Les Innocents.

OSSEMENS DU
CIMETIERE DE
S:: LAURENT LE 7
NOVEMBRE 1804

Dispone d'omni fuz qui a toerien et non vive
Disposes de Les biens parceque tu mœuras
Et que tu ne peux toujours vivre

Cette « Lampe sépulcrale » veille
les âmes flottantes des Catacombes
mais évoque aussi les foyers
que l'on allumait dans les carrières
pour activer la ventilation à la base
des puits d'accès.

The "Sepulcher Lamp" watches over
the souls floating in the Catacombs,
but is also evocative of quarry
torches lit at the bottom of access
shafts for ventilation purposes.

QUARTIER DE CAZERNE

CET OUVRAGE
FUT COMMENCE EN
1777 PAR DECURE
DIT BEAUSEJOUR
VETERANT DE SA
MAJESTÉ ET FUT
FINI ⊙ EN 1782

Un certain Décure, soldat démobilisé embauché
par la toute jeune inspection des Carrières, sculpta
ces maquettes de la forteresse de Port-Mahon, bâtie
sur l'île de Minorque, où il avait combattu les Anglais.
Voulant aménager un escalier d'accès à son œuvre,
il déclencha un éboulement qui lui fut fatal.

*A discharged soldier named Décure was hired
by the newly created Inspection des Carrières.
He carved this model of the Port-Mahon fortress on
Minorca, where he had fought the English. His own
art proved fatal, however. He was crushed when
he set off a rockslide while working on a staircase
to provide access to his sculpture.*

Au cours de la visite des catacombes, on découvre une fontaine, appelée «bain de pieds des carriers», dont la transparence a surpris bien des distraits.

The "quarryman's footbath" never fails to delight visitors to the Catacombs. The transparency of the water has caught many off guard.

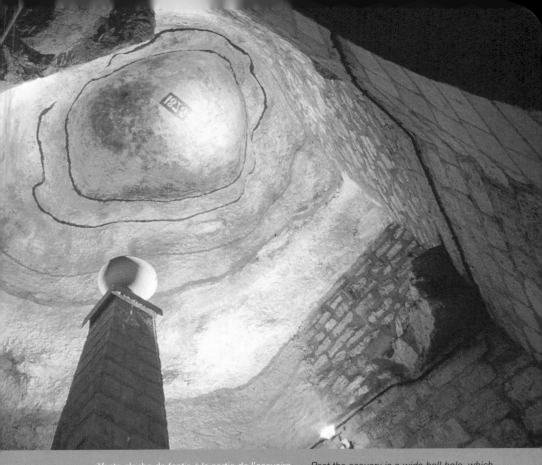

Vaste cloche de fontis à la sortie de l'ossuaire, cimentée de façon à en conserver le volume originel ; les couches de terrain ont été mises en évidence par de la peinture.

Past the ossuary is a wide bell hole, which was reinforced with cement to preserve its original volume. The strata were outlined with paint.

Dernier vestige du collège des Bernardins, l'imposant réfectoire du XIVᵉ siècle repose sur un cellier voûté comportant 32 colonnes, long de 75 mètres, qui fut remblâyé jusqu'aux chapiteaux peu après sa construction pour en garantir la stabilité.

The last vestige of the Collège des Bernardins is a massive 14th-century refectory, built upon a 75-meter long vaulted cellar boasting 32 columns. Shortly after being built, the cellar was filled in, up to the capitals of the columns, in order to stabilize the whole structure.

CAVES & CRYPTES
CELLARS & CRYPTS

Sous la ville subsistent de nombreux témoins de son passé – caves médiévales, celliers ancestraux, hypogées cultuels ou funéraires etc. –, plus anciens que les édifices qui les surplombent. Alors qu'en surface on détruit et on rase irrémédiablement, c'est le privilège des aménagements souterrains que d'être simplement remblayés, voire oubliés. Et il arrive, heureusement, que ces vestiges sommeillant sous terre soient redécouverts par les archéologues et même, à l'occasion, rendus accessibles au public.

La récente réfection des Bernardins a valu au cellier d'être dégagé. Ses piliers, repris en sous-œuvre, sont désormais débarrassés de leurs contreforts.

A recent renovation of the Collège des Bernardins cleared out the cellar. The structure was underpinned and the old buttresses supporting the pillars could then be removed.

Below the surface is a plethora of information on the city's history: medieval basements, ancient cellars, sacred or funerary hypogea, etc., all much older than structures overlooking them. Aboveground buildings get irremediably destroyed and demolished. But the subterranean has the advantage of being merely filled in, or even forgotten. And, quite fortunately, these vestiges slumbering in the earth are occasionally rediscovered by archeologists, and, sometimes, made accessible to the public.

L'ancien cellier du couvent
des Minimes (xvᵉ siècle),
mi-carrière mi-caveau creusé
dans le coteau calcaire
de Chaillot, accueille
le musée du Vin après avoir
servi de cave au restaurant
de la tour Eiffel.

*Part quarry and part
storeroom, the cellar
of the Couvent des Minimes,
(15th century) was carved
out of the limestone
of the Chaillot hillside. It is
now home to the Musée
du Vin (wine museum).
Prior to this, it served as
wine cellar to the restaurant
on the Eiffel Tower.*

Dans les sous-sols de l'église
Saint-Sulpice construite au xviie siècle,
subsistent les massifs de fondation
et les piliers de l'ancienne église
du xive siècle, dont on voit ici le chœur.

*Beneath the 17th-century Saint-Sulpice
church are the foundations and pillars
of the earlier 14th-century church,
whose choir is pictured here.*

Une petite crypte de Saint-Sulpice abrite le tombeau de Charles-Marie Widor (1845-1937), célèbre organiste de l'église.

A small crypt beneath Saint-Sulpice contains the tomb of the church's famed organist, Charles-Marie Widor (1845-1937).

La crypte datant
du XVIe siècle
de l'ancien couvent
des Carmélites,
très remaniée
au XIXe siècle,
se trouve aujourd'hui
sous un immeuble
moderne de la rue
Pierre-Nicole.

The 16th-century
crypt of the now
non-existent Couvent
des Carmélites
underwent extensive
renovation in the
19th century.
A building on Rue
Pierre-Nicole covers
the site today.

Les trois niveaux de cet ossuaire moderne,
creusé en 1950 dans les pentes du
Père-Lachaise, abritent les ossements provenant
des concessions à perpétuité abandonnées.

*The modern ossuary, dug into the slopes
of Père-Lachaise cemetery, has three levels.
It was designed in 1950 to receive bones
transferred from abandoned perpetuity tombs.*

Cette casemate de l'avant-porte Saint-Michel
appartient à l'enceinte de Philippe-Auguste.
Ses meurtrières permettaient de protéger
le fossé creusé sous Charles V des assauts
de l'ennemi. Découverte à l'occasion
de la percée d'un égout, elle a échappé
à un tunnel ferroviaire et à un parking souterrain.

*This casemate within the Porte Saint-Michel
gatehouse was part of the city walls built under
Philippe-Auguste. Its arrow loops allowed
soldiers to provide cover for the ditch dug
in the time of Charles V. This casemate was
discovered during works to create a sewer line.
It escaped a project for a railway tunnel
and another for an underground parking lot.*

69

La crypte archéologique du Parvis de Notre-Dame abrite les vestiges gallo-romains et médiévaux découverts lors des fouilles de 1965-1972. À droite, les soubassements d'une « basilique civile » (tribunal) du Haut-Empire (IIe siècle) ne sont pas accessibles au public.

The archeological crypt on the esplanade of Notre-Dame de Paris contains Gallo-Roman and Medieval vestiges discovered during digs from 1965 to 1972. On the right, the base of a 2nd-century basilica (city court) dating from the Early Roman Empire is not accessible to the public.

L'abri allemand surnommé
« le Bunker », situé dans les carrières
qui se trouvent sous le lycée
Montaigne (6e arr.).

*The German shelter in the quarry
under the Lycée Montaigne
(a 6th-arrondissement high school)
was nicknamed "the Bunker".*

LES ABRIS
SHELTERS

Au cours des années 1930, les tensions internationales ont entraîné l'aménagement d'abris de défense passive sous des bâtiments aussi bien publics que d'habitation. Dans la mesure du possible, on a évidemment tiré profit des vides existants : caves, carrières, métro… Par un renversement ironique de l'histoire, les Allemands parachèveront l'aménagement des abris et y apporteront quelques changements de signalétique.

International tension in the 1930s touched off a movement to set up civil defense shelters beneath buildings, whether public or residential. Whenever possible, existing underground cavities were used: basements, quarries, metros, etc. By a strange twist of fate, it was the Germans who actually finished the job and added their own signs.

Le Bunker a conservé ses inscriptions : « Silence » et « Défense de fumer » voisinent avec les fléchages des issues de secours équipées de portes étanches.

The Bunker's signs ordering silence and no smoking have not been erased by time, nor have the arrows pointing to emergency exits with airtight doors.

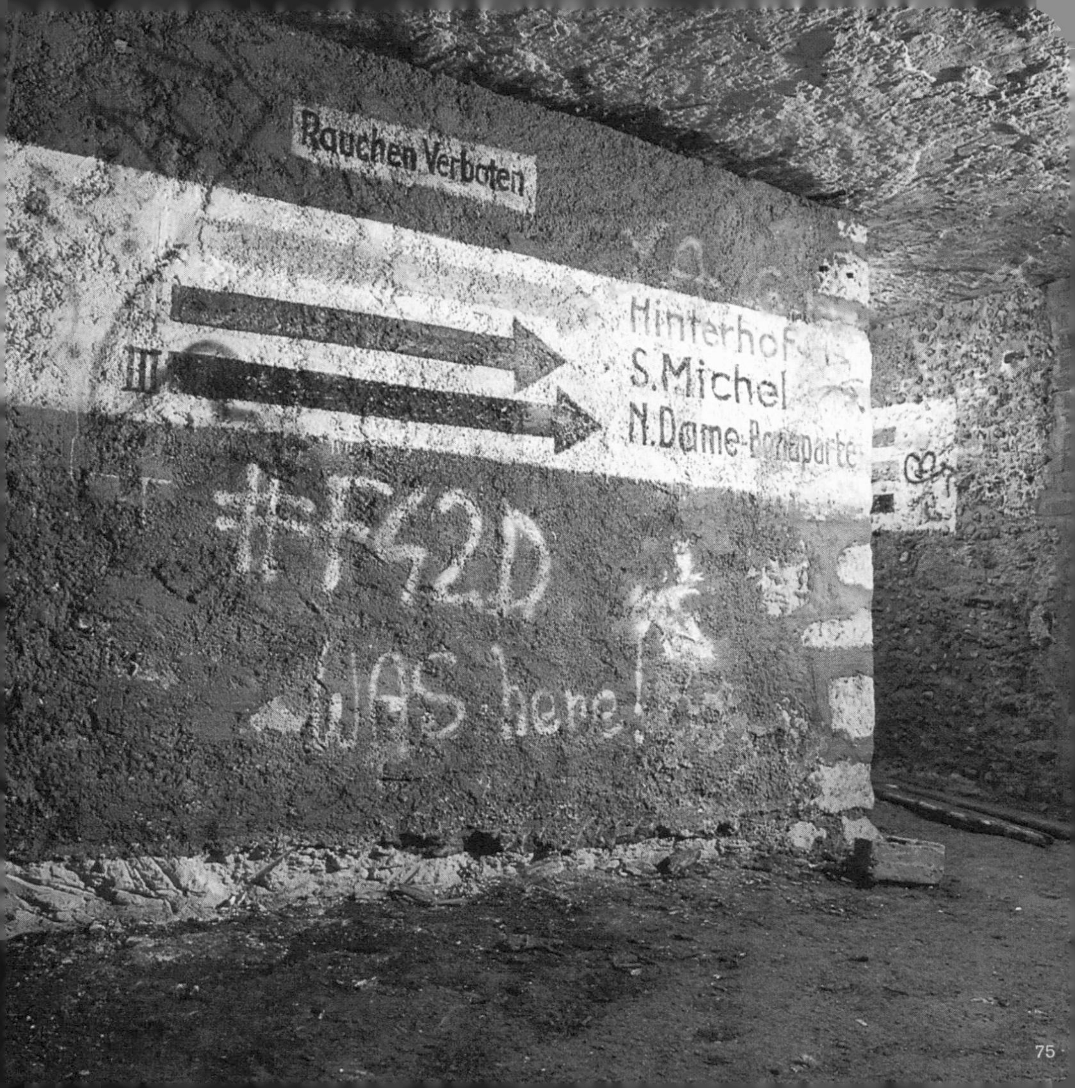
Rauchen Verboten
III
Hinterhof
S.Michel
WAS here!

Le poste de commandement souterrain
de la gare de l'Est est très bien conservé,
car il a bénéficié d'un entretien régulier et…
du secret jusqu'aux années 1990. Toutes les
installations nécessaires au fonctionnement
du réseau s'y trouvaient réunies.

The Gare de l'Est underground headquarters
was not only very well maintained,
it was a very well kept secret right up
to the 1990s. It had everything needed
for operating the rail lines.

Investissant l'abri de la gare de l'Est, les Allemands ont apposé leur propre signalétique, masquée à la Libération sous une couche de peinture patriotique, qu'on devine sous les deux inscriptions indiquant les sorties.

When German troops took over the Gare de l'Est shelter, they put up their own signs. Once Paris was liberated, however, a coat of patriotic paint was applied, as here over two German exit signs.

Il est expressémet
DÉFENDU de FUMER

6

Abri désaffecté
sous l'Hôtel de Ville.

*A closed-down shelter
beneath Paris City Hall.*

Le bois d'étayage ayant été le plus souvent récupéré par la suite, les abris de l'École de Médecine, boisés comme une galerie minière, constituent une exception surprenante.

The shelter at the École de Médecine (school of medicine), which was timbered and looked like a mine gallery, is a surprising exception as wooden props were generally removed.

ABRI
SORTIE
DE SECOURS
SUIVEZ
LA FLECHE

D'autres abris en caves,
comme ici sous
un immeuble d'habitation
du 9ᵉ arrondissement,
étaient renforcés
de poutrelles métalliques.

*The shelters beneath
apartment buildings (here
in the 9th arrondissement)
were either timbered or
propped with steel supports.*

Les murs mitoyens ont été percés d'issues de secours indiquées par les fléchages, fermées par une cloison légère.

Doorways were cut into basement common walls and covered with light partition walls that could be broken through for emergency exit. Signs pointed to the way out.

Le réservoir de Montsouris,
mis en service en 1874, était
à l'époque le plus vaste
du monde avec une capacité
de 200 000 mètres cubes.

*When the Montsouris
reservoir opened in 1874,
it was the world's largest with
its capacity of 200,000 cubic
meters – nearly 53 million
gallons.*

L'EAU
WATER

Paris a longtemps manqué d'eau potable. Tandis que les puits étaient corrompus par les infiltrations de toutes natures, l'eau de la Seine, d'une qualité tout aussi médiocre, était distribuée à grands frais par les porteurs d'eau ou débitée bien chichement par de rares fontaines. Pour leur part, les vieux aqueducs délivrant un filet d'eau séléniteuse étaient bien en peine de répondre aux besoins de la capitale et suffisaient tout juste à alimenter quelques concessions privées.

Ce n'est qu'avec le Second Empire et le programme haussmannien d'adduction que Paris sera convenablement approvisionné. L'ingénieur Belgrand organise alors la captation de sources à plus de 100 kilomètres de la capitale et aménage d'immenses réservoirs.

Intérieur des regards de la Lanterne, place des Fêtes (g), de Saint-Martin, rue des Cascades (b), et du Trou-Morin, au Pré-Saint-Gervais (d).

Inside the regards de La Lanterne, beneath Place des Fêtes (l), Saint-Martin, beneath Rue des Cascades (b), and Trou-Morin, in Pré-Saint-Gervais (r).

Le captage des Sources du Nord, de part et d'autre de la colline de Belleville, remonte au XIIe siècle. Les conduites étaient accessibles par des édicules nommés regards.

Tapping springs in northern Paris, on Belleville hill, dates back to the 12th century. Conduits were accessed at small buildings called regards in French.

Paris long lacked drinking water. While wells were polluted by infiltrations of all sorts, river water from the Seine (rather mediocre in terms of quality) was distributed at great cost by water carriers or through a relatively small number of fountains with dismally low output. The old aqueducts provided a trickle of gypsum-laden water, certainly not enough to meet the capital's needs, and barely enough to satisfy a few private grants.

It was not until the Second Empire's water conveyance program that Paris would get a reasonable supply of water. Eugène Belgrand, a 19th-century water engineer, harnessed springs over 100 kilometers from the capital and ordered immense reservoirs to be built.

Pour alimenter les fontaines
du palais du Luxembourg,
Marie de Médicis fit retrouver
et capter les sources
de l'ancien aqueduc
gallo-romain. Ici, le premier
regard de l'aqueduc Médicis,
dit «regard Louis XIII»,
à Rungis (h et d).

*Marie de Médicis ordered
the springs supplying a Gallo-
Roman aqueduct to be tapped
so as to supply the fountains
at Luxembourg Palace.
Here: the first regard
of the Médicis Aqueduct was
at Rungis (top and right),
and was called "Regard
Louis XIII".*

L'intérieur de
l'aqueduc, galerie
souterraine longue
de 13 kilomètres.

*This aqueduct is
a 13-kilometer long
subterranean gallery.*

Le dernier regard de l'aqueduc Médicis, dit «Maison du Fontainier», situé à côté de l'Observatoire, est aussi le plus imposant. Il abrite les trois bassins de répartition des eaux, distinguant celles pour le roi, celles pour la ville et celles destinées à l'entrepreneur (ci-contre au débouché de l'aqueduc).

The Médicis Aqueduct's point of arrival, near the Paris observatory, was called "Maison du Fontainier" (literally: the hydraulic engineer's house). It was the most impressive of the regards. The water flow was sent through three splitter tanks: one for the king, one for the city, and one for the entrepreneur. Pictured here, the end of the aqueduct.

Réservoir de stockage
construit en 1845.

Reservoir built in 1845.

Les galeries dans
lesquelles circulaient les
conduites de distribution.

*Water distribution
pipes once ran through
these galleries.*

Ce regard sous la rue d'Alsace est un vestige du réseau de distribution des eaux du canal de l'Ourcq, conçu sous le Premier Empire.

Beneath Rue d'Alsace is a vestige of the Canal de l'Ourcq water distribution network built during the First Empire.

Le canal Saint-Martin est une voie navigable aménagée dans le prolongement du canal de l'Ourcq. Certaines sections en ont été couvertes à partir de 1861. Ici, la voûte du Temple (1907).

Canal Saint-Martin is a navigable waterway and is an extension of the Canal de l'Ourcq. Certain sections were covered as of 1861. Pictured here is the Voûte du Temple (1907).

Galerie de captage de
la source d'Armentières,
origine de l'aqueduc
de la Vanne (1874).

*Water catchment gallery
at the Armentières spring,
the starting point for
the Vanne aqueduct (1874).*

Bassin de rassemblement des eaux au départ de l'aqueduc de la Vanne. L'eau parfaitement transparente laisse voir la couche de craie qui en constitue le fond.

Water collecting pool at the head of the Vanne aqueduct. The chalk bedrock here is actually more visible than the crystalline water.

Les captages
haussmanniens
ont été complétés
par d'autres,
comme en 1925
la dérivation
de la Voulzie,
aux environs
de Provins, dont
on voit ici l'une
des sources.

*Water catchments
begun in the
Haussmann period
were completed
later. The 1925
Voulzie diversion
taps into this
spring outside the
city of Provins.*

Des ouvrages d'interconnexion permettent de mieux répartir le débit entre les aqueducs, comme ici à Cachan entre la Vanne et le Loing-Lunain.

Interconnection systems improve flow rates between the aqueducts, such as here at Cachan between the Vanne and the Loing-Lunain aqueducts.

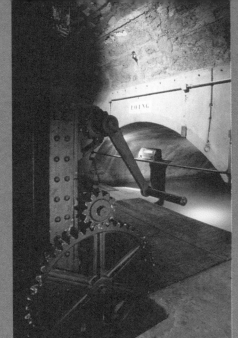

L'élévation de l'eau de certaines sources situées en contrebas des aqueducs est assurée par des machines hydrauliques comme celle de Chigy, sur l'aqueduc de la Vanne.

The task of water raising from low springs to higher aqueducts is performed by hydraulic machines such as this one at Chigy, on the Vanne aqueduct.

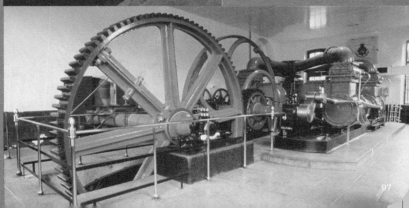

Chacun des deux niveaux du réservoir de Montsouris repose sur 1 800 piliers. Ici, le niveau inférieur. La capacité totale des réservoirs parisiens, quoique supérieure à un million de mètres cubes, couvre à peine deux journées de consommation.

Both levels of the Montsouris reservoir sit upon 1,800 pillars. Pictured here, the lower level. While the total capacity of Paris reservoirs is well over a million cubic meters, it barely represents what the city consumes in two days.

VANNE
LOING
LUNAIN

Au fond de ces bassins, dénommés bâches d'arrivée, se trouvent les tulipes par lesquelles se déversent les aqueducs avant que l'eau ne soit répartie entre les différents compartiments du réservoir.

Aqueduct water finishes its course spouting from these curved spigots at the bottom of the pools. The water is then diverted to different reservoir compartments.

Niveau inférieur réservé à
l'eau non potable destinée au
lavage des rues et des égouts.

*The lower level is for raw
water used in street cleaning
and in sewer flushing.*

Construit pour recevoir l'eau
de l'aqueduc de la Dhuis,
le réservoir de Ménilmontant
(1865) est aujourd'hui
essentiellement alimenté par
les usines de potabilisation
des eaux de la Marne
et de la Seine.

*The Ménilmontant reservoir
was built in 1865 to collect
water off the Dhuis aqueduct.
It is now fed primarily by
water treatment facilities on
the Marne and Seine rivers.*

Niveau supérieur
pour l'eau potable,
exceptionnellement vide.

*The upper level,
exceptionally empty here,
is for drinking water.*

Des petits réservoirs d'eau
non potable sont dispersés
dans Paris, tel le réservoir
de Passy, à ciel ouvert.

*Paris has several small
reservoirs of non-drinking
water. This is the Passy
open-air reservoir.*

Les fondations du réservoir de Villejuif, ornées de belles concrétions fistuleuses, dues aux infiltrations.

Foundations of the reservoir in Villejuif with beautiful, soda straw concretions created drip by drip.

103

EAU
DANGEREUSE
A BOIRE

41

EAU & GAZ
A TOUS LES ÉTAGES

EAU GAZ
ÉLECTRICITÉ CALORIFÈRE

BOUCHE D'INCENDIE

1.85
1.60

20

MAISON SALUBRE
EAU ET GAZ

EAU & GAZ

ARRÊT GÉNÉRAL
EAU de SOURCE
G. MOUREN 10-12. Rue des Fêtes
PARIS

CABINETS PARTICULIERS
ET INODORES

GAZ
A TOUS LES ÉTAGES

CRC...
du 29 Janvier 1910

EAU
DANS TOUTES
LES CUISINES

16

BOUCHE d'INCENDIE n° 6
EAU DE VILLE : AVRE
CONDUITE de 150 mm
15 m PRESSION 5 Kg
(Sous REGARD d'EGOUT)
SENS d'OUVERTURE
à GAUCHE

Des conduites distribuent
l'eau à travers la ville.
Des interconnexions avec
les réseaux desservant
la banlieue assurent une
disponibilité optimale et
un « périphérique de l'eau »
ceinture Paris, par précaution
en double circuit.

*Conduits provide water
to all parts of the city.
Interconnections
with suburban networks
guarantee optimal availability,
and a double "beltway
of water" around Paris
as a precautionary circuit.*

Un soudeur au travail
à l'intérieur d'une conduite.

*A welder at work
inside a network conduit.*

Sous l'église Saint-Sulpice, on peut encore voir le puits qui débouchait sur le parvis de l'ancienne église avant que celle-ci ne soit absorbée par le nouvel édifice.

Still visible today, underground, this well stood on the square in front of Saint-Sulpice until the medieval church was replaced by the 17th-century edifice we know today.

Un recensement réalisé pendant le siège de 1870 dénombrait 30 000 puits parisiens, pour la plupart insalubres. Certains, comme ici à Vanves, plongeaient directement dans une galerie de captage.

According to a count taken during the siege of 1870, the city had 30,000 wells. Most were unfit for use. Some, like this one in Vanves, descended straight into a water collecting gallery.

Puits de l'hospice de Bicêtre
(1735), profond de 57 mètres.

*The well at the Hospice de
Bicêtre (1735) is 57 meters
deep.*

Puits du Mesnil-le-Roi,
en lisière de la forêt
de Saint-Germain-en-Laye.

*Well at Mesnil-le-Roi
on the edge of the Saint-
Germain-en-Laye forest.*

Réservoir du puits de
l'hospice de Bicêtre.

*The Hospice de
Bicêtre's well reservoir.*

Des puits plus imposants,
équipés de manèges
à traction animale, ont permis
d'alimenter quelques grands
établissements, comme
les Invalides ou l'École militaire.

*Larger wells, equipped with
horse-drawn pumps, provided
water for institutions such as
Les Invalides, the old
soldiers'home, and École
Militaire, the military academy.*

On fore depuis 1833 à plus de 600 mètres pour atteindre la nappe artésienne de l'Albien, dont l'eau sous pression jaillit alors spontanément sans qu'il soit nécessaire de pomper. Par le passé, les chantiers étaient difficiles et donc extrêmement longs : 41 ans pour le puits de la Butte-aux-Cailles (mis en service en 1904, rebouché il y a peu), dont on voit ici l'ancienne tête de puits.

Since 1833, wells have been drilled as far as 600 meters down to attain the Albien artesian aquifer. The pressure is such that the Albien's waters surge to the surface. Historically, drilling has been arduous, to say the least. It took 41 years to drill the Butte-aux-Cailles well, which began operating in 1904 and was plugged only recently. A new well has since been drilled. The old casing head is seen here on the left.

De nouveaux puits ont été forés récemment pour disposer d'une ressource en cas de problème sur le réseau. Ici, en 1999, le forage du puits du square de la Madone (18ᵉ arr.).

More wells were recently drilled to respond to an eventual water network emergency. Pictured here, in 1999, is the drilling of the well on Square de la Madone (18th arrondissement).

La Bièvre fut polluée sans
retenue par les tanneries,
ici au bief de la Photographie,
actuel square Adanson.

*Tanners along the Bièvre
greatly polluted the river. The
site for this shot was called
Bief de la Photographie, now
Square Adanson.*

Devenue un égout à ciel ouvert, la rivière a été supprimée du paysage parisien entre 1860 et 1912. Ici, la galerie couverte sous le boulevard Arago.

Because the Bièvre River had become an open-air sewer, it was eliminated between 1860 and 1912. Pictured here is an underground gallery beneath Boulevard Arago.

**BIÈVRE
RUE
CROULEBARBE**

**RIVIÈRE
DE BIÈVRE
BRAS-MORT**

Dans l'égout de la rue Berbier-du-Mets,
une ancienne galerie de la Bièvre couverte, le mur
de quai est encore visible. La cunette centrale
est postérieure à la suppression de la rivière.

*In the sewer beneath Rue Berbier-du-Mets,
an old gallery of the covered Bièvre River.
The river's old embankment wall is still visible
here. The narrow flow channel was laid out well
after the river had been eliminated.*

Le confluent des collecteurs de Clichy (à droite) et des Coteaux (au centre) sous la place Adolphe-Max (9ᵉ arr.).

The junction of the Clichy collector (right) and the Coteaux collector (center) beneath Place Adolphe-Max (9th arrondissement).

LES ÉGOUTS
THE SEWERS

Durant des siècles, déchets et eaux usées étaient purement et simplement jetés dans les rues, non pavées. Très progressivement, de rares établissements se virent dotés d'égouts, tandis que l'on creusait des fosses d'aisances sous les habitations. De timides progrès furent accomplis au début du XIX siècle, mais c'est sous le Second Empire que des améliorations majeures, inspirées de l'exemple londonien, furent mises en œuvre. En 1858, on construisit le grand égout collecteur (aujourd'hui collecteur d'Asnières), qui relie la place de la Concorde à la Seine à Clichy, en passant au plus court sous le relief. Les collecteurs haussmanniens forment toujours l'ossature du réseau intra-muros actuel, étendu à l'échelle de l'agglomération parisienne par les émissaires, supercollecteurs acheminant les eaux usées aux stations d'épuration.

For centuries, rubbish and wastewater were simply tossed into the unpaved streets. Slowly, but gradually, sewers were installed in a few buildings, while cesspools were dug beneath residential buildings. By the early 19th century, the tone had been set for making progress. However, it was in the Second Empire that major improvements were made in Paris, much along the lines of London's sewerage program. In 1858, the city built a large main sewer (now known as the Asnières collector). It went from Place de la Concorde northwards to the banks of the Seine in Clichy, taking the shortest route, the route under higher ground. Sewers commissioned under Haussmann are still the backbone of the Paris network, which has naturally been extended into suburban areas by outfall sewers, or super collectors, carrying wastewater to sewage treatment plants.

VIEUX CEINTURE

Cette galerie voûtée (g) est peut-être l'un des plus anciens égouts parisiens (exception faite des égouts gallo-romains). Elle recevait les eaux usées du collège des Bernardins avant de se déverser dans le canal de Bièvre.

This arched gallery (l) is perhaps one of the oldest sewers in Paris, with the exception of the Gallo-Roman sewers, of course. It carried wastewater from the Collège des Bernardins into the Canal de Bièvre.

Le Grand égout de ceinture, préhaussmannien, suivait approximativement le bras ancien de la Seine et les Grands Boulevards. Ici, sous la rue du Château-d'Eau (10e arr.).

The Grand égout de ceinture (Grand Belt Sewer) predates Haussmann's sewer works. It roughly follows an old branch of the Seine River and the Grands Boulevards. Here, beneath Rue du Château-d'Eau (10th arrondissement).

Dalle de fermeture d'une fosse d'aisance dans les sous-sols de la bibliothèque Mazarine. Les vidangeurs qui pénétraient dans les fosses pour les vider étaient fréquemment victimes des gaz toxiques qui en émanaient.

Stone slab closing a cesspool in the basement of the Mazarine Library. Cesspools required periodical emptying, but cleaners often fell victim to the toxic gases.

Un égout du début
du XIXᵉ siècle.
La pierre calcaire
a été entamée par
l'acidité des matières
qui y stagnaient.

*An early
19th century sewer.
The acidic materials
stagnating here
eroded the
limestone.*

Cet égout voûté, aujourd'hui désaffecté, a été aménagé à l'emplacement du fossé occidental de l'enceinte de Philippe-Auguste sur la rive gauche, comblé lors de la construction de l'Institut puis du lotissement du passage du Commerce-Saint-André.

This arched sewer, no longer in service, replaced the western ditch along the Left Bank's medieval city walls. The ditch was filled in for the construction of the Institut de France, then for the Passage du Commerce-Saint-André development.

Suivant le schéma haussmannien, les égouts élémentaires se jettent dans des collecteurs secondaires, eux-mêmes rassemblés dans huit collecteurs principaux. Ici, le collecteur principal Bosquet.

As in Haussmann's plan, primary sewer lines here empty into branch sewers, which, in turn, empty into eight main sewers called collectors. Here, the main Bosquet collector.

Le profil ovoïde des égouts élémentaires modernes a permis de réaliser des économies substantielles de matériaux. Les deux conduits en plastique à droite sont les tubes du réseau pneumatique, aujourd'hui désaffecté.

The egg shape given to modern elementary sewers substantially cut building costs. The plastic conduits on the right were part of the now-outdated pneumatic post network.

Le collecteur de Sébastopol,
bien que secondaire,
a néanmoins des
proportions majestueuses
en raison des deux
énormes conduites d'eau
(potable et non potable)
qu'il abrite.

Although the Sébastopol
collector is actually
a secondary sewer line,
it was given majestic
proportions. It encases
two huge water pipes
for both drinking
and non-drinking water.

Le curage de cet égout s'effectue à l'aide d'un wagon-vanne, qui roule sur les angles de la cunette. La vanne, ici relevée, s'abaisse dans la cunette pour produire un effet de chasse d'eau.

Flushing out this sewer requires using a sluice cart. Its wheels ride on the edges of the flow channel. The flush gate, seen lifted here, drops into the flow channel to flush water through.

129

Dans les égouts élémentaires,
on utilisait pour le curage
un engin primitif dénommé «bête
à cornes», une simple planche au
profil de l'égout munie de deux poignées
que l'égoutier bloquait de son pied.

*In the primary sewers, workers used
a crude tool made quite simply from a board
of the same width as the flow channel.
Holding onto the double handles, workers
could block it with one foot during
the flushing process.*

Dans les grands collecteurs, c'est un bateau-vanne qui est utilisé. Cet appareil, mû par la seule force de l'eau, a été conçu il y a 150 ans, en même temps que le réseau lui-même.

A sluice boat is used in large collectors. The water-driven device was invented some 150 years ago, at the same time the city's sewer system was laid out.

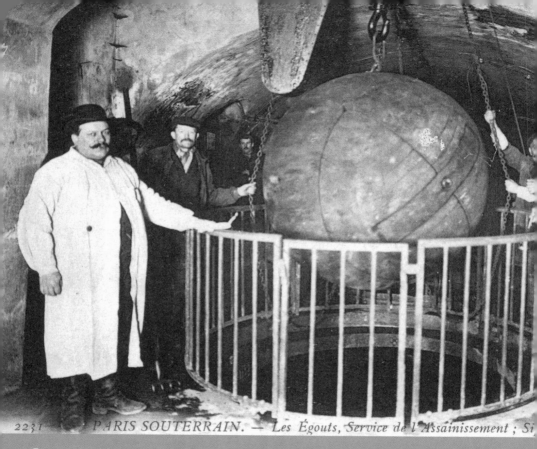

2231   PARIS SOUTERRAIN. — Les Égouts, Service de l'Assainissement ; Si

Pour curer les siphons de franchissement de la Seine, galeries de section circulaire totalement inondées, on utilise toujours de grosses boules de bois. Poussées par le courant, elles chassent les sables devant elles.

Big wooden balls have always been used in flushing out the siphons crossing the Seine. These circular galleries are to remain constantly flooded. As the water pushes the balls through, sand and grit are flushed out.

la Concorde,

ND Ph

Égoutier débouchant
un branchement particulier.

*Sewer worker unplugging
a building's sewer line.*

133

Égoutiers dégageant un wagon-vanne occasionnant une trop grande montée d'eau dans l'égout.

Sewer workers removing a sluice cart that was backing up too much water in the sewer.

134

Lâcher d'eau avant un curage.

Releasing water before a flush.

En dépit de leurs grandes dimensions, les collecteurs peuvent être saturés en cas d'orage violent. Le surplus se déverse alors directement dans la Seine par le biais de déversoirs d'orage, comme ici le déversoir Buffon.

While they may appear large, violent storms can saturate collectors (main sewers). Excess water is diverted into the Seine via storm relief sewers such as the Buffon relief sewer here.

Afin de délester le réseau, un égout se déverse ici dans un émissaire situé 30 mètres plus bas ; le puits à hélice permet de préserver les maçonneries.

To relieve pressure on the system, the sewer here empties into an outfall sewer located 30 meters down. The spiraling grooved shaft helps preserve the masonry.

SIPHON
AXE

URINOIR

Sᵗᵉ DES TRANSPORTS ᴇɴ COMMUN
DE LA RÉGION PARISIENNE

VILLE DE PARIS
ÉPURATION DES EAUX D'ÉGOUT
FERME DE LA HAUTE-BORNE

BOULEVARD
SÉBASTOPOL

AVE DE
VICTORIA

DANGER

BASSIN DE
DESSABLEMENT

COLLECTEUR
DES COTEAUX

PLACE DE LA
CONCORDE

RUE ROYALE
COLLECTEUR
D'ASNIÈRES

ÉCOLE
DE FILLES

37

MAISON SALUBRE
Tout a l'Egout

G. MOUREN   10. R. des Fêtes   (Paris)

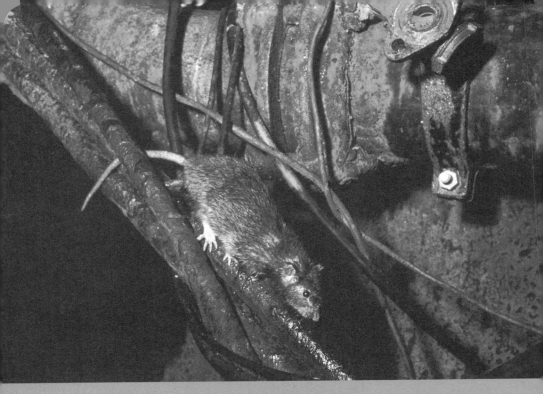

Malgré les campagnes
de dératisation, on estime
qu'il se trouve à Paris un rat par
habitant. Le rat gris parisien,
venu de Chine au XVIIIᵉ siècle,
a supplanté le rat noir.

Despite extermination campaigns,
it is estimated that there is one
rat for every resident in Paris.
The gray Parisian rat, brought
from China in the 18th century,
drove out the black rat.

Les blattes apprécient
la chaleur humide des égouts.

*Cockroaches thrive
in sewers' moist, warm air.*

Un chasseur de rats ;
ses captures seront livrées
vivantes aux sociétés
de chasse.

*A rat hunter catching living
rats to sell to dog trainers.*

141

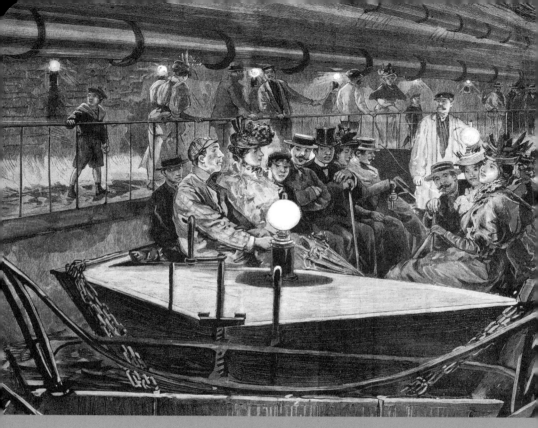

Vers 1890, le visiteur des égouts
effectuait un véritable voyage
souterrain, à bord d'un wagonnet
de la place du Châtelet
à la Concorde puis en bateau
dans le collecteur d'Asnières.

For visitors in the 1890s,
a tour of the sewers began
by an underground trolley ride
from Place du Châtelet to Place
de la Concorde then a boat ride
in the Asnières collector.

Aujourd'hui, la visite
est limitée à un secteur
aménagé sous la place
de la Résistance (7ᵉ arr.).

*Today, the tour is confined
to an area beneath
Place de la Résistance
(7th arrondissement).*

143

L'accès aux égouts se fait
par des regards munis d'échelons
et fermés par de lourds tampons
en fonte.

*Entry to the sewers is through
manholes, fitted out with rung
ladders, and shut by heavy
cast-iron manhole covers.*

L'émissaire Sèvres-Achères, peu avant
sa mise en service. Les émissaires, ouvrages
non visitables du fait de leur section circulaire,
sont curés à la boule comme les siphons.

*The Sèvres-Achères outfall sewer, shortly
before being put in service. Outfall sewers
cannot be visited due to their circular form.
As with siphons, they are also flushed
with balls.*

Les 165 000 mètres cubes du bassin d'orage de La Plaine,
à proximité du Stade de France, permettent d'absorber
les pluies violentes avant de les évacuer progressivement
dans le réseau.

*The 165,000 cubic meters (36 million gallons) of the storm-
water tank at La Plaine, quite close to the Stade de France
sports stadium, catches rainfall from violent storms and then
lets it flow back gradually into the sewer system.*

Évacuation
des déblais
de l'excavation.

*Removal of
excavation
debris.*

Le siphon Richard-Lenoir,
creusé par un tunnelier
sous le canal Saint-Martin,
s'incurve vers le haut
pour rejoindre le collecteur
du Centre.

*The Richard-Lenoir liquid
elevator, dug by a tunnel
excavator beneath Canal
Saint-Martin, curves
upwards to connect with
the Centre collector.*

Galerie du réseau de chauffage
urbain sous le bassin de la Villette.
On distingue la conduite de vapeur
au ras du sol et, au-dessus, la conduite
de retour d'eau condensée.

*Municipal heating network beneath
the Bassin de la Villette. At floor level
is the steam conduit, and above that
is the condensed water return flow.*

LES RÉSEAUX
THE NETWORKS

Le plus inattendu des réseaux parisiens distribuait l'heure ! Vers 1879, des impulsions d'air comprimé circulaient dans des tuyaux jusqu'aux horloges des abonnés. Ce réseau pionnier donnera naissance à celui de l'air comprimé pour les artisans et pour le service du pneumatique. Le gaz dès 1816, le téléphone en 1879 puis, tardivement, l'électricité en 1889 seront eux aussi acheminés à travers la ville par un maillage de conduites enterrées ou posées en galeries. Le nombre, l'étendue et la complexité des réseaux ne cessent de croître, que ce soit pour l'énergie (chauffage urbain, climatisation) ou pour les communications.

The oddest of Paris's networks distributed time! In 1879, subscribers' clocks received tiny blasts of compressed air via underground tubes. This innovative network gave birth to the compressed-air network for artisans and the pneumatic postal system. The lighting gas network began operating in 1816. The telephone network came in 1879, and electricity installations in 1889. All of these services were conveyed to the city by conduits that were buried or placed in subterranean galleries. The number, extent, and complexity of the networks keep growing to meet the city's needs in energy (municipal heating and air conditioning) and communications.

Câbles EDF de 20 000 volts en sortie du poste de transformation souterrain de l'avenue Foch.

20,000-volt cables exiting the subterranean transforming station located beneath Avenue Foch.

Le réseau téléphonique a parfois emprunté les galeries des carrières, comme ici sous l'avenue du Général-Leclerc, mais les câbles en sont progressivement retirés.

The telephone utility has sometimes used quarry galleries, as seen here beneath Avenue du Général-Leclerc. Cables are gradually being removed now from such galleries.

Le réseau de climatisation
centralisée distribue
de l'eau glacée à ses
abonnés par des conduites
posées dans les égouts.
Dans le collecteur
d'Asnières sous la Concorde,
on achève la soudure
d'une des conduites maîtresses.

The air-conditioning network pipes
icy water to subscribers via special
conduits placed in the sewers. Here,
workers in the Asnières collector
under Place de la Concorde finish
welding one of the main conduits.

Les galeries techniques
multi-réseaux facilitent
les accès et évitent d'avoir
à éventrer les chaussées.
Leurs grandes dimensions
rendent toutefois ces
ouvrages très coûteux
et il n'en existe qu'un petit
nombre à Paris.

*Utilities tunnels make
conduit access easier,
and the pavement
no longer need be ripped
open. They are expensive,
however, due to their
sheer size. There are
only a few in Paris.*

L'équilibre du sous-sol est fragile. Le 15 juin 1914, à la suite d'un orage violent, un égout saturé céda et se déversa dans le chantier d'une ligne de métro, provoquant plusieurs affaissements meurtriers dans le 8ᵉ arrondissement.

The equilibrium of subterranean environments is fragile. On June 15, 1914, a severe rainstorm caused a sewer to cave in. Wastewater gushed into nearby subway construction sites, resulting in fatal accidents due to ground subsidence in the 8th arrondissement.

Les nappes souterraines étant moins exploitées qu'il y a quelques décennies, leur niveau remonte progressivement. Certains parkings se retrouvent ainsi les pieds dans l'eau.

Use of underground water resources has declined in recent decades. As a result, levels have gradually risen, and water is now creeping into some underground parking lots.

Travaux nocturnes de réhabilitation
de la station Porte-de-Montreuil, consistant
à conforter les maçonneries.

*Night shift workers busy with structural
improvements to the Porte-de-Montreuil
station.*

LES CHANTIERS
DU MÉTRO

MÉTRO
CONSTRUCTION SITES

Après l'ouverture du premier réseau métropolitain à Londres en 1863, nombre de projets, aériens ou souterrains, furent envisagés à Paris. C'est à l'occasion de l'Exposition universelle de 1900 que la ligne 1 fut conçue et réalisée par Fulgence Bienvenüe. La plupart des lignes que nous utilisons furent ouvertes entre 1900 et 1930, y compris le Chemin de fer Nord-Sud, actuelle ligne 12, concurrent de la CMP (Compagnie du métro parisien). La RATP naîtra de la fusion des deux compagnies. L'apparition du RER en 1970 donnera un nouvel élan aux transports franciliens. Le réseau continue de s'étendre : le métro avec Météor (ligne 14) en 1998 et le RER avec Eole (ligne E) en 1999.

Réfection des voies et remplacement de la couche de ballast. L'opération est minutieusement réglée pour profiter au mieux des brèves heures d'interruption nocturne.

Track repairs and ballast replacement. The operation has to keep to a very tight schedule to take full advantage of the brief time the system shuts down nightly.

30

After London's Metropolitan Railway opened in 1863, many schemes were presented for above-and underground systems in Paris. Line 1 was operational for the Universal Exhibition of 1900. It was designed and completed by Fulgence Bienvenüe. Most of the lines in use today went into service between 1900 and 1930, including the Chemin de Fer Nord-Sud line (now line 12), a line competing with the Compagnie du Métro Parisien. When CMP merged with its rival, they formed the RATP. The first RER line (suburban express line) in 1970 announced a new era in regional transport. The transport system continues to grow and develop with Météor (line 14) completed in 1998, and Eole (line E of the RER) in 1999.

Avant de prolonger la ligne 4
vers la banlieue sud,
la RATP a fait réaliser cette
galerie à la porte d'Orléans
afin de reconnaître les
caractéristiques du terrain
et détecter les vides
des anciennes carrières.

*Before extending line 4
southwards to the suburbs,
the RATP ordered this
gallery at Porte d'Orléans
to be drilled to determine
how the rock would react
to drilling and to detect the
presence of old quarries.*

Construction d'une galerie
sous la Seine entre
les stations Chambre-des-
Députés et Concorde
en 1909 pour la ligne
du Nord-Sud. Le bouclier,
ancêtre du tunnelier,
ménage quatre chambres
de travail pour
les terrassiers.

*Construction of a gallery
under the Seine between
the metro stations
Chambre-des-Députés and
Concorde in 1909 for the
north-south line. The shield,
predecessor of tunnel
boring machines, contained
four chambers for tunnel
diggers to work in.*

La nouvelle station Saint-Lazare, sur la ligne Météor, a été construite selon une technique qui consiste à excaver la pleine section du souterrain sur une courte longueur puis à bétonner la voûte définitive immédiatement à l'aide d'un coffrage mobile.

The new Météor line's station at Saint-Lazare was built using a technique involving full-face excavation for a short distance followed by immediate concrete casting of the vault using moving formwork.

Pour percer dans un terrain particulièrement instable une galerie de correspondance aux abords de la station Saint-Lazare (Météor), on a fait appel à des ouvriers mineurs expérimentés, qui ont creusé et étayé progressivement le souterrain.

Highly skilled miners were required to dig this passenger transfer tunnel because of the particularly unstable soil. The painstakingly slow technique involves inserting props at each stage of digging.

Pose des voies
dans le tunnel d'arrière-
station, amorce du futur
prolongement de
la ligne 14 vers Place-de-
Clichy et au-delà.

*Laying track in the
turnback tunnel, the start
of the future extension
of line 14 towards
Place-de-Clichy and
onwards.*

La construction de la ligne E du RER (Eole) a été l'un des plus gros chantiers souterrains de France. Il comprenait la réalisation de deux gigantesques gares souterraines (Magenta et Haussmann-Saint-Lazare), chacune représentant une fois et demie le volume de la tour Montparnasse couchée à 30 mètres sous terre. Ici, le ferraillage du radier à Magenta.

Eole, line E of the RER, was one of France's largest subterranean construction sites ever.
Two gigantic underground stations were built: Magenta and Haussmann-Saint-Lazare. Each one represented
the equivalent of one and a half times the volume of Montparnasse Tower if it were placed on its side
30 meters below the surface. Here, reinforcement for the apron at Magenta.

La géologie tourmentée
du Nord-Est parisien
a imposé au tunnelier
d'Eole de suivre un tracé
en profondeur au sein
des couches de terrain
les plus résistantes.

The tortuous geology
of northeastern Paris
forced Eole's tunnel
engineers to burrow deep
to avoid the most
difficult strata.

Le choix de réaliser deux tunnels à voie unique plutôt qu'un seul ouvrage à voie double a été dicté par la nature du sous-sol.

The soil type here was the deciding factor in building two single-track tunnels rather than a single two-way tunnel.

171

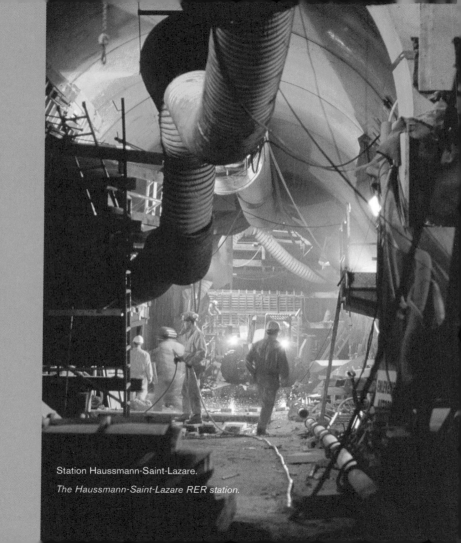

Station Haussmann-Saint-Lazare.

The Haussmann-Saint-Lazare RER station.

Station Magenta.

The Magenta RER station.

De nombreuses entreprises et différents corps de métier durent œuvrer simultanément à la construction de la ligne E. Chaque lot du chantier était pourvu de sa statuette de Sainte-Barbe, patronne des métiers du feu et des explosifs.

A great number of enterprises and various trades labored simultaneously on line E. Each section in the construction site had a statuette of Saint Barbara, the patron saint of trades associated with fire and explosives.

173

POUR EN SAVOIR PLUS

L'aqueduc Médicis, Philippe Laporte, Éditions Ocra, 1998

Atlas du Paris souterrain, sous la direction d'Alain Clément et Gilles Thomas, Parigramme, 2001

Beneath the Metropolis, Alex Marshall, First Carroll & Graf, 2006

Les Catacombes de Paris, Delphine Cerf, David Babinet, Moulenq, 1994

Catacombes et carrières de Paris, René Suttel, Éditions Sehdacs, 1986

Description des Catacombes de Paris, Héricart de Thury, réédition Éditions du CTHS, 2000 (édition originale : 1815)

L'eau à Paris, Laure Beaumont-Maillet, Hazan, 1991

Métro insolite, Clive Lamming, Parigramme, 2002

Paris et ses réseaux – Naissance d'un mode de vie urbain XIXᵉ – XXᵉ siècles (actes), Mairie de Paris / BHVP, 1990

Paris Sewers and Sewermen, Donald Reid, Harvard University Press, 1991

Paris souterrain, Émile Gérards, réédition DMI, 1991 (édition originale : 1908)

Paris Underground, Caroline Archer *with* Alexandre Parré, Mark Batty Publisher, 2005

Subterranea Britannica, Bulletin N°. 30, winter 1994 (périodique)

Subterranean Cities – The World Beneath Paris and London (1800-1845), David Lawrence Pike, Cornell University Press, 2005

Sur les traces de la Bièvre parisienne, Renaud Gagneux, Jean Anckaert, Gérard Conte, Parigramme, 2002

Sur les traces des enceintes de Paris, Renaud Gagneux, Denis Prouvost, Parigramme, 2004

AVERTISSEMENT

La visite des souterrains non aménagés n'est pas anodine. L'obtention d'une autorisation est impérative, de même que le strict respect des règles de sécurité. À défaut, on s'expose à des poursuites judiciaires, et surtout à des accidents graves, voire mortels. On risque chute, noyade, empoisonnement aux gaz toxiques, électrocution, éboulement, contaminations diverses, ainsi que de se perdre, et cette énumération n'est pas exhaustive. L'arrêté préfectoral du 2 novembre 1955 fait explicitement mention défense « d'ouvrir les portes et trappes d'accès [...] aux anciennes carrières, [...] de pénétrer et circuler dans les vides des anciennes carrières s'étendant sous l'emprise des voies publiques de la Ville de Paris ». Des dispositions semblables s'appliquent aux autres réseaux. D'autre part, la présence de visiteurs clandestins dans les anciennes carrières, trop nombreux et peu scrupuleux, conduit à la dégradation accélérée et irréversible d'un patrimoine exceptionnel, unique au monde.

CAUTION

Visiting subterranean Paris outside designated areas is not to be taken lightly. Authorization is imperative, as is strict adherence to safety regulations. Otherwise, intruders may be prosecuted, or worse. Serious accidents, deadly accidents, do happen. We will spare you an exhaustive list, but intruders do run the risk of falling, drowning, being asphyxiated by toxic gases, being electrocuted, being crushed by falling rocks, catching any number of infections, and getting lost. Moreover, the comings and goings of too many and too unscrupulous clandestine visitors in Paris's old quarries has sped up irreversible degradation to an exceptional and truly unique location.

Je tiens à remercier tout particulièrement :
– Gilles Thomas, inépuisable source d'informations et infatigable instigateur de contacts,
– Jacques Chabert, Robert Chardon, Julian Pepinster et Denis Prouvost pour les conseils
sympathiques et la relecture efficace,
– Félix Tournachon pour l'inspiration ;

et parmi les nombreux propriétaires et administrations qui m'ont accueilli et autorisé
à photographier leurs sites depuis de nombreuses années, trop nombreux pour être tous cités ici :
– la Ville de Paris / Musée Carnavalet : Jean-Marc Léri, Catherine Decaure,
– l'association Sauvegarde et Mise en valeur du Paris historique : Pierre Housieaux,
– l'association Notre-Dame de Joye : Michel Eudier,
– l'association Sources du Nord – Étude et préservation : Jean-Luc Largier,
– la Section de l'assainissement de Paris, Sagep-Eau de Paris, l'Inspection générale
des Carrières, l'Institut de sauvegarde et de réhabilitation du patrimoine industriel des carrières
(PICAR), la SNCF, la RATP…,
– les entreprises de travaux souterrains qui m'honorent de leur confiance,
– les assistants et figurants dévoués sans qui ces photos n'auraient pu se faire.

Toutes photographies © Emmanuel Gaffard
et pp. 20, 147 : E. Gaffard / Solétanche-Bachy ;
pp. 106-107, 112-113, 154-155 :
E. Gaffard / Sagep-Eau de Paris ;
pp. 148-149, 150-151 : E. Gaffard / CSM-Bessac.

Tous documents coll. Emmanuel Gaffard sauf p. 32
(cabinet minéralogique) : © Boyer / Roger-Viollet ;
p. 114 (Bièvre) : © BHVP/cliché Leyris.

Édition : Laurence Solnais
Direction artistique : Isabelle Chemin
Maquette : Anne Delbende/Nota Bene

Avec la collaboration de Pascal Tilche.

Photogravure : Alésia Studio, à Sèvres
Achevé d'imprimer en mai 2007 sur les presses
de l'imprimerie Mariogros, en Italie

ISBN : 978-2-84096-482-7
Dépôt légal : juin 2007